IT
TO

A weekend's worth of *essential* words and phrases

Translated by Antonio Coppa

First published in Great Britain in 2002 by
Michael O'Mara Books Limited
9 Lion Yard, Tremadoc Road
London SW4 7NQ

A CIP catalogue record for this book is available from the British
Library

ISBN 1-85479-013-7

1 3 5 7 9 10 8 6 4 2

Designed and typeset by Design 23

Made and printed in Great Britain by William Clowes, Beccles, Suffolk

CONTENTS

INTRODUCTION

Concise yet informative, *Italian to go* is ideal for weekend visits to the beautiful country of Italy – a regular glance at the contents of this pocket-sized language book will ensure you'll never be lost for words.

Clear and precise, the pronunciation that follows each Italian word and phrase has been devised to simplify the Italian language for the English-speaking user, with the aim of producing more relaxed and flowing conversations with the people you meet.

Make the most of your Italian adventure with *Italian to go* – whether you're making a hotel reservation, finding your way to the beach or chatting up the locals, speaking Italian has never been easier.

THE BASICS

Hello
Ciao
chow

Goodbye
Arrivederci
arree'veh'dair'chee

Good morning
Buon giorno
bwon jorno

Good afternoon
Buon pomeriggio
bwon pommer'ridge'oh

Good evening
Buona sera
bwona say'rah

Good night
Buona notte
bwona nott'ay

Yes
Sì
see

No
No
noh

Please
Per favore
pair fah'vor'ay

Thank you
Grazie
grart'see'ay

You're welcome
Piacere mio
pee'ah cheh'ray mee'oh

Thank you very much
Grazie mille
grart'see'ay mee'lay

How are you?
Come stai?
coe'meh sty'ee

Fine / Not bad
Bene / Non male
ben'nay / non mar'lay

Pleased to meet you
È un piacere conoscerti
ay oon pee'ah'chair'ay con'no'shirt'ee

Excuse me
Scusami
scooza'mee

Sorry
Scusa
scoozah

Pardon?
Prego?
pray'go

Do you speak English?
Parli inglese?
par'lee ing'lay'say

I don't understand
Non capisco
non cap'iss'co

I'm English	My name is...
Sono inglese	**Mi chiamo...**
sonno ing'lay'say	*mee key'arm'oh*

Could you repeat that more slowly, please?
Potresti ripetere parlando più lentamente?
pot'rest'ee ree'pair'teh'ray par'land'oh pew lent'ah'ment'ay

Could I pass by?	What?
Permesso?	**Costa?**
pair'mess'oh	*coe'sah*

Why?
Perché?
perk'ay

Who?
Chi?
key

When?
Quando?
kwand'oh

How?
Come?
coe'meh

How much / How many?
Quanto costa / Quanti?
kwant'oh costa / kwant'ee

Where?
Dove?
doe'veh

Which?
Quale?
kwar'leh

How far?
Quanto dista da qui?
kwant'oh dista dah kwee

Can I have...?
Posso avere...?
poss'oh av'air'ray

Can you help me?
Puoi aiutarmi?
poo'oy i'ooh'tar'mee

Can you tell me...?
Puoi dirmi...?
poo'oy deh'er'mee

?

GETTING FROM A TO B

AIRPORTS & ARRIVALS

Where is / Where are the...?
Dov'è... / Dove sono...?
doe'vay / doe'veh sonno

baggage reclaim
il ritiro bagagli
eel rit'eer'oh bag'i'yee

luggage trolleys
i carrelli portabagagli
ee cah'rell'ee port'ah'bag'i'yee

help / information desk
l'ufficio informazioni
loof'eesh'oh inform'ats'ee'oh'nee

ladies' / gents' toilets
il bagno per le donne / per gli uomini
*eel ban'yo pair luh donnay / pair yee
oo'oh'min'ee*

Are there any cash machines here?
Ci sono sportelli automatici qui?
*chee sonno sport'ell'ee
ow'toe'mat'ee'chee kwee*

Is there a bureau de change nearby?
C'è un'agenzia di cambio qui vicino?
*chay oon a'jent'see'ah dee cam'bee'oh
kwee vee'chee'no*

Is there a bus / train to the town
centre?
**C'è un autobus / un treno che porta al
centro?**
*chay oon out'oh'boose / oon tray'no
kay port'ah al chent'roh*

TAXI!

Is there a taxi rank nearby?
C'è un posteggio dei taxi qui vicino?
*chay oon posst'edge'oh day taxi kwee
vee'chee'no*

How much will it cost to get to...?
Quanto mi costa andare a...?
kwant'oh mee costa and'ah'ray a

Take me to this address, please.
Portami a questo indirizzo, per favore.
*port'a'mee a kwesto in'deer'its'oh pair
fav'or'ay*

CAR & BICYCLE HIRE

Where can I hire a car / bicycle?
Dove posso noleggiare una macchina / una bicicletta?
doe'veh poss'oh noll'edge'ah'ray oona mack'in'a / oona bee'chee'clett'a

I'd like to hire a car for a day / week.
Vorrei noleggiare una macchina per un giorno / una settimana.
vorray noll'edge'ah'ray oona mack'in'a pair oon jorno / oona settee'manna

What is the daily / weekly rate?
Qual è la tariffa giornaliera / settimanale?
kwal ay lah ta'reef'ah jor'nall'ear'a / settee'man'ah'lay

PUBLIC TRANSPORT

I'd like a single / return to...
Vorrei un biglietto di sola andata / di andata e ritorno per...
vorray oon bee'yet'oh dee so'lah and'art'a eh rit'or'no pair

What time does the next train / bus / tram to...leave?
Quando parte il prossimo treno / autobus / tram per...?
kwand'oh part'eh eel pross'ee'mo tray'no / out'oh'boose / tram pair

Which platform do I need for a train to...?
Di quale binario ho bisogno per il treno che va...?
dee kwar'lay bin'ah'ree'oh oh biss'on'yo pair eel tray'no kay vah

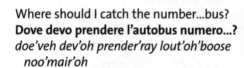

Which bus goes to...?
Quale autobus va a...?
kwar'lay out'oh'boose va a...

Where should I catch the number...bus?
Dove devo prendere l'autobus numero...?
doe'veh dev'oh prender'ray lout'oh'boose noo'mair'oh

How much is the fare to...?
Quanto mi costa andare a...?
kwant'oh mee costa and'are'ay a

What time is the last bus / train /
   tram to...?
**A che ora è l'ultimo autobus / treno /
   tram che va...?**
*a kay or'rah ay lull'tee'moe
   out'oh'boose / tray'no / tram kay va*

BY SEA

Where do I catch the ferry to...?
Dove prendo il traghetto che va a...?
doe'veh pren'doe eel trag'et'toe kay va a

When does the next ferry / hydrofoil
  leave for...?
**A che ora parte il traghetto / aliscafo
  che va a...?**
*a kay or'rah part'ay eel trag'et'toe /
  lall'iss'cah'foe kay va a*

Possible responses

It's...   over there
È...   **laggiù**
ay   *lah'jew*

on the left / right
sulla sinistra / destra
soo'lah sin'east'rah / dest'rah

straight ahead
diritto davanti a te
dee'reet'oh dav'ant'ee a tay

up / down the stairs
sopra / giù le scale
so'prah / jew leh scar'lay

Follow the signs above
Segui il cartello segnaletico
seg'wee eel cart'ello sen'ya'let'ick'oh

It'll cost...euros per day / per week
Costa...euro al giorno / per settimana
*costa...ay'oo'roh al jorno / pair
  settee'manna*

There's a train to...at...
C'è un treno da...a...
chay oon tray'no dah...a

Your train will leave from platform number...
Il tuo treno partirà dal binario numero...
eel too'oh tray'no part'ear'rah dal bin'ah'ree'oh noo'mair'oh

You'll need bus number...for...
Hai bisogno dell'autobus numero...per...
i biss'on'yo dell'out'oh'boose noo'mair'oh...pair

The next boat for...will leave at...
La prossima nave per...parte alle...
lah pross'ee'ma nah'vay pair...part'ay alleh

BEDS & BREAKFAST

HOTELS & HOSTELS

Do you have any vacancies?
Avete stanze libere?
a'vay'tay stan'say lee'bair'eh

I would like...
Vorrei...
vorray

I reserved a single room / double room...
Ho prenotato una singola / una doppia...
*oh prenno'tart'oh oona sing'oh'lah /
oona dopp'ee'ah*

with twin beds
con letti gemelli
con lett'ee jem'ell'ee

with a double bed
con letto matrimoniale
con lett'oh mat'ree'moan'ee'ah'lay

with a toilet and shower
con bagno e doccia
con ban'yo eh dot'cha

with a bath
con bagno
con ban'yo

How much is...?
Quanto costa...?
kwan'toe costa

bed and breakfast...
letto e colazione...
*lett'oh eh
coll'at'see'oh'nay*

half-board...
mezza pensione...
met'sah pen'see'oh'nay

full-board...
pensione completa...
pen'see'oh'nay com'plet'ah

...per night
...per notte
...pair nott'ay

...per week
...per settimana
...pair settee'manna

I'd like to stay for...
Vorrei restare per...
vorray rest' ah' ray pair

one night / two nights
una notte / due notti
oona nott'ay / doo'ay nott'ee

a week / two weeks
una settimana / due settimane
oona settee'manna / doo'ay
  settee'man'ay

Is there a reduction for children?
C'è una riduzione per bambini?
chay oona rid'ut'see'oh'nay pair
  bam'bee'nee

Do you have any cheaper rooms?
Avete camere meno care?
a'vay'tay cam'air'ray may'no car'ay

Does the room have...?
La camera è provvista...?
lah cam'air'rah ay prov'ist'ah

a radio / a television
di radio / di televisione
dee rad'ee'oh / dee tell'ev'it'see'oh'nay

room service
servizio in camera
serv'its'ee'oh in cam'air'rah

a mini-bar
un mini-bar
oon mini-bar

a hairdryer
un föhn
oon fon

air-conditioning
aria condizionata
ah'ree'ah cond'its'ee'on'art'ah

Is there a night-porter on duty?
C'è il portiere di notte?
chay eel port'ee'air'ay dee nottay

Can I have a wake-up call at...?
Posso essere svegliato alle...?
poss'oh ess'air'ay svay'yart'oh alleh

I like to stay out late, so will I need a key?
Vorrei fare tardi stanotte, ho bisogno delle chiavi d'entrata per questo?
vorray far'ay tar'dee stah'nottay, oh biss'on'yo dell'ah key'ah'vee dent'rart'ah pair kwest'oh

I'd like breakfast in my room tomorrow.
Vorrei la colazione in camera domani.
vorray lah col'at'see'oh'nay in cam'air'rah dom'arn'ee

What time is breakfast / dinner served?
A che ora viene servita la colazione / il pranzo?
a kay or'ah vee'en'ay serv'eet'ah lah col'at'see'oh'nay / eel prant'so

The room is too cold / hot / small / dirty.
**La stanza è troppo fredda / calda /
  piccola / sporca.**
*lah stant'sa ay trop'oh fray'dah / cal'dah /
  pee'co'lah / spor'cah*

Could I have some clean towels, please?
**Potrei avere delle tovaglie pulite, per
  favore?**
*pot'ray av'air'ay dell'eh tov'i'yay
  poo'lee'tay, pair fav'or'ay*

The shower doesn't work.
La doccia non funziona.
lah dot'cha non funt'see'oh'nah

I'm not satisfied and I'd like another
   room, please.
**Non sono soddisfatto e vorrei avere
   un'altra stanza, per favore.**
*non sonno sodd'iss'fat'oh eh vorray oon
   al'tra stant'sa, pair fav'or'ay*

Can you recommend any good...?
Puoi consigliarmi qualche buon...?
poo'oy con'see'yar'mee kwal'keh bwon

bars	restaurants	night clubs
bars	**ristoranti**	**discotechi**
bars	*rist'or'ant'ee*	*disco'tech'ee*

Are there any areas I should avoid at
   night?
**Ci sono posti che sarebbe meglio
   evitare di notte?**
*chee sonno poss'tee kay sah'ray'bay
   may'yoh evit'ah'ray dee nottay*

I'd like to make a phone call.
Vorrei fare una telefonata.
vorray far'ay oona tell'ay'fon'art'ah

Can I have the bill?
Posso avere il conto?
poss'oh av'air'ay eel cont'oh

CAMPING

Where's the nearest campsite?
Dov'è il campeggio più vicino?
*doe'vay eel camp'edge'oh pew
  vee'chee'no*

May we camp here?
Possiamo accamparci qui?
poss'ee'arm'oh a'camp'ah'chee kwee

How much to stay here...?   per day
Quanto costa stare qui...?   **al giorno**
kwant'oh costa star'ay kwee   *al jorno*

per person
per persona
pair per'so'nah

per tent
per tenda
pair ten'dah

per car
per la macchina
pair lah mackin'a

per caravan
per roulotte
pair rue'lot

Where are the toilets / the showers?
Dov'è il bagno / le docce?
doe'vay eel ban'yo / leh dotch'ay

Is there.../ Are there...?
C'è.../ Ci sono...?
chay / chee sonno

public telephones
telefoni pubblici
*tell'eh'fon'ee
   poob'litch'ee*

local shops
negozi
neg'ot'see

a swimming pool
una piscina
oon'ah pish'een'ah

an electricity supply
presa per la corrente
pray'say pair lah cor'rent'ay

Where's the nearest beach?
Dov'è la spiaggia più vicina?
*doe'vay lah spee'adge'ah pew
   vee'chee'nah*

Possible responses

We have no vacancies at the moment.
Non abbiamo camere libere in questo momento.
non abb'ee'arm'oh cam'air'ay lee'bear'ay in kwest'oh mo'ment'oh

I can recommend another hotel nearby.
Posso consigliarvi un altro hotel qui vicino.
poss'oh con'see'yar've oon alt'ro oh'tel kwee vee'chee'no

How long do you want to stay?
Quanti giorni volete rimanere?
kwant'ah jorn'ee vol'et'ay rim'an'air'ay

It's half-price for children.
Metà prezzo per i bambini.
may'ta pret'so pair ee bam'bee'nee

There are no discounts for children.
Non ci sono sconti per bambini.
non chee sonno scon'tee pair bam'bee'nee

That'll be....euros.
Il prezzo è...euro.
eel pret'so ay...ay'oo'roh

MONEY, MONEY, MONEY

GETTING IT

Where can I find a...? bank
Dove posso trovare...? **una banca**
doe'veh poss'oh *oona bank'ah*
troh'vah'ray

currency exchange office
un ufficio di cambio
oon oof'eesh'oh dee cam'bee'oh

cash machine
uno sportello automatico
oon sport'ell'oh ortomat'ee'co

What's the current exchange rate?
Qual è il valore del cambio attuale?
*kwarl ay eel val'or'ay dell cam'bee'oh
at'too'ar'lay*

How much commission do you charge?
Quanto costa l'operazione di cambio?
kwant'oh costa lop'air'at'see'oh'nay dee cam'bee'oh

I'd like to exchange these traveller's cheques / pounds for euros.
Vorrei scambiare questi assegni turistici / sterline per euro.
vorray scam'bee'ah'ray kwest'ee ass'en'yee tur'ist'it'chee / ster'lee'nay pair ay'oo'roh

SPENDING IT

How much is it?
Quanto costa questo?
kwant'oh costa kwest'oh

Can I pay by credit card?
Posso pagare usando la carta di credito?
*poss'oh pag'ah'ray oo'sand'oh lah cart'ah
dee cred'eet'oh*

Do you accept traveller's cheques?
Accettate assegni turistici?
atch'eh'tart'ay ass'en'yee tur'ist'it'chee

FOOD, GLORIOUS FOOD

EATING OUT

Waiter / Waitress!
Cameriere / Cameriera!
cam'air'rear'ay / cam'air'rear'ah

Could we have a table...?
Potremmo avere un tavolo...?
pot'ray'mo av'air'ay oon tav'oh'lo

I'd like a table for one person / two people...
Potrei avere un tavolo per una persona / due persone...
pot'ray av'air'ay oon tav'oh'lo pair oona pair'so'nah / doo'ay pair'so'nay

in the corner	outside
nell'angolo	**fuori**
nell'an'go'lo	*foo'or'ee*

by the window
vicino alla finestra
vee'chee'no al'ah feen'est'rah

in the smoking area
nella zona fumatori
nell'ah zone'ah foo'mat'or'ee

in the non-smoking area
nella zona non fumatori
nell'ah zone'ah non foo'mat'or'ee

Could we see the drinks / food menu, please?
Potremmo avere un menù delle bibite / delle portate, per favore?
pot'ray'mo av'air'ay oon men'yoo dell'eh bib'eet'ay / delle por'tart'ay pair fav'or'ay

I'd like to order some drinks, please.
Posso ordinare da bere, per favore.
*poss'oh ord'in'ah'ray dah beh'ray pair
  fav'or'ay*

I'd like...
Vorrei gustare...
vorray gus'tar'ay

a bottle of...
una bottiglia...
oona bott'ee'yah

a glass / two glasses of...
un bicchiere / due biccieri...
oon bick'ee'air'ay / doo'ay bick'ee'air'ee

red wine
di vino rosso
dee vee'no ross'oh

white wine
di vino bianco
*dee vee'no
  bee'ank'oh*

sparkling mineral water
d'acqua frizzante
dack'wa frit'san'tay

still mineral water
d'acqua naturale
dack'wa nat'er'arl'ay

beer
di birra
dee birr'ah

lager
di lager
dee lar'gah

cider
di sidro
dee seed'roh

lemonade
di limonata
dee lim'on'art'ah

cola
di coca cola
dee coca-cola

orange juice
d'aranciata
dah'ran'chee'art'ah

apple juice
di succo di mela
dee zuck'oh dee may'la

I'm a vegetarian. What do you
  recommend?
**Sono vegetariano / vegetariana. Cosa
  mi consigli?**
*sonno ve'jet'ah'ree'ah'no / nah. coe'sah
  mee con'see'yee*

Do you have a children's menu?
Avete un menù per bambini?
a'vay'tay oon men'yoo pair bam'bee'nee

Does this dish contain nuts / wheat?
Questo piatto contiene noci / grano frumento?
kwest'oh pee'at'oh cont'ee'ay'nay notch'ee / grar'no froo'ment'oh

I'd like to order...followed by...
Posso ordinare...seguito da...
poss'oh ord'in'ah'ray...seg'wee'toe dah

Could I see the dessert menu?
Potrei vedere il menù dei dessert, per favore?
pot'ray ved'air'ay eel men'yoo day dessert pair fav'or'ay

That was delicious. Thank you.
Era delizioso. Grazie mille.
ay'ra del'it'see'oh'so. grart'see'aymee'lay

Can we order some coffee, please?
Posso ordinare del caffè, per favore?
poss'oh ord'in'ar'ay dell caff'ay pair fav'or'ay

Could we have the bill, please?
Potrei avere il conto, per favore?
pot'ray av'air'ay eel conto pair fav'or'ay

Is service included?
Il servizio è incluso?
eel serv'it'see'oh ay in'cloo'so

There's been a mistake. I didn't order
    that drink / meal.
**C'è stato un'errore. Non ho ordinato
    questa bibita / questo piatto.**
*chay stat'oh oon eh'roar'ay. non oh
    ord'in'ah'toe kwest'ah bee'bee'tah /
    kwest'oh pee'at'oh*

Possible responses

May I take your order?
Posso prendere le ordinazioni?
*poss'oh prend'air'ay leh
 ordin'at'see'oh'nay*

I'd recommend...
Io consiglierei...
ee'oh con'see'yah'ray

Would you like...?
Vorresti...?
vorr'est'ee

Enjoy your meal!
Buon appetito!
bwon app'et'eet'oh

SIGHTS & SOUNDS

ATTRACTIONS & DIRECTIONS

Where is / Where are the...?
Dov'è / Dove sono...?
doe'vay / doe'veh sonno

How do I get to the...?
Come posso raggiungere...
coe'meh poss'oh radge'un'jerray

airport
l'aeroporto
lair'oh'port'oh

art gallery
la galleria d'arte
lah gal'air'ee'ah dart'ay

beach
la spiaggia
lah spee'adj'ah

bus station
la stazione degli autobus
lah stat'see'oh'nay day'yee out'oh'boose

castle
il castello
eel cast'ell'oh

cathedral
la cattedrale
lah catt'ed'rarl'ay

cinema
il cinema
eel chin'em'ah

harbour
il porto
eel port'oh

lake **il lago** *eel larg'oh*	museum **il museo** *ell moo'say'oh*

park **il parco** *eel park'oh*	river **il fiume** *eel fee'oom'ay*

stadium **lo stadio** *low stad'ee'oh*	theatre **il teatro** *ell tay'art'roh*

tourist information office
l'ufficio d'informazioni turistico
loof'eesh'oh din'form'at'see'oh'nee
  tur'iss'tick'oh

town centre

il centro

eel chent'roh

zoo

lo zoo

loh zoh

train station

la stazione dei treni

lah stat'see'oh'nay day tray'nee

When does it open / close?

Quando apre / chiude?

kwand'oh app'ray / key'oo'day

Is there an entrance fee?

C'è un'entrata a pagamento?

chay oon'ent'rart'ah a pag'ah'ment'oh

Possible responses

Take the first / second / third turning
   on the left / right.
**Prendi la prima / la seconda / la terza
girando a sinistra / destra.**
*pren'dee lah pree'mah / lah sec'on'dah /
lah tairt'sah jeer'and'oh a sin'eest'rah /
dest'rah*

Go straight on.
Diritto davanti a te.
deer'eet'toe dav'ant'ee a tay

Around the corner.
Dietro l'angolo.
dee'ayt'roh lan'go'lo

Along the street / road / avenue.
Lungo la via / la strada / il viale.
*lung'oh lah vee'ah / lah strar'dah /
    eel vee'ah'lay*

Over the bridge.
Al di la'del ponte.
al dee lah'dell pont'ay

It's a ten-minute walk down that road.
**Sono dieci minuti a piedi seguendo
    questa strada.**
*sonno dee'ay'chee min'oot'ee a
    pee'ay'dee seg'wend'oh kwest'ah
    strar'dah*

SPEND, SPEND, SPEND

SHOPPING

Open
Aperto
ap'air'toe

Closed
Chiuso
kee'oose'oh

Entrance
Entrata
ent'rart'ah

Exit
Uscita
oo'sheet'ah

Where's the main shopping centre?
Dov'è il centro commerciale?
*doe'vay eel chent'roh
comm'air'chee'ah'lay*

Where can I find a ...?
Dove posso trovare...?
doe'veh poss'oh

baker's
un panettiere
oon pan'et'ee'air'ay

bank
una banca
oona bank'ah

bookshop
una libreria
oona lib'rare'ree'ah

butcher's
un macellaio
oon mah'chell'ay'oh

chemist's
un farmacista
oon farm'ah'chist'ah

clothes shop
un negozio d'abbigliamento
oon neh'got'see'oh dab'bee'a'ment'oh

delicatessen
una salumeria
oona sall'oom'air'ee'ah

department store
un grande magazzino
oon grand'ay mag'at'see'no

fishmonger's
un pescivendolo
oon pesh'ee'ven'doe'lo

gift shop
un negozio di regali
oon neh'got'see'oh dee regg'arl'ee

greengrocer's
un fruttivendolo
oon frut'ee'vend'oh'lo

newsagent's
un giornalaio
oon jor'nal'eye'oh

post office
un ufficio postale
oon oof'eesh'oh poss'tar'lay

shoe shop
una calzoleria
oona cal'zoll'air'ee'ah

supermarket
un supermercato
oon soo'per mer'cat'oh

wine merchant
un commerciante di vini
oon comm'air'chee'ant'ay dee vee'nee

How much is it?
Quanto costa?
kwant'oh cost'ah

Excuse me, do you sell...?
Scusate, vendete...?
scooze'art'ay, vend'et'ay

aspirin
aspirina
asp'ear'ee'nah

condoms
preservativi
prez'erv'at'ee've

camera films
rullini fotografici
*roo'lee'nee
 foe'toe'graff'ee'chee*

local street maps
mappe del posto
*map'ay dell
 poss'toe*

cigarettes
sigarette
sig'ah'ret'ay

stamps
francobolli
frank'oh'boll'ee

English newspapers   postcards
giornali inglesi   **cartoline**
jor'nar'lee ing'lay'see cart'oh'lee'nay

I'll take one / two / three of those.
Prendo uno / due / tre di questi.
*pren'doh oon'oh / doo'ay / tray dee
    kwest'ee*

That's too expensive. Do you have
    anything cheaper?
**È troppo caro. Hai qualcosa di meno
    caro?**
*ay trop'oh cah'ro. i kwal'coe'sah dee
    may'no cah'ro*

I'll take it.
Lo prendo.
lo pren'doh

Where do I pay?
Dove pago?
doe'veh pag'oh

Could I have a bag, please?
Potrei avere una busta, per favore?
pot'ray av'air'ay oona boost'ah pair fav'or'ay

Possible responses

Can I help you?
Posso aiutarvi?
poss'oh i'oot'ar'vee

We don't sell...
Non vendiamo...
non vend'ee'arm'oh

You can pay over there.
Puoi pagare lì.
poo'oy pag'ah'ray lee

That'll be...euros, please.
Questo costa...euro, per favore.
*kwest'oh cost'ah...ay'oo'roh pair
  fav'or'ay*

MEETING & GREETING

MAKING FRIENDS

Hi! My name's...
Ciao! Mi chiamo...
chow. mee kee'arm'oh

Pleased to meet you.
Piacere di conoscerti.
pee'ah'chair'ay dee con'no'shirt'ee

What's your name?
Come ti chiami?
coe'meh tee kee'arm'ee

Where are you from?
Da dove vieni?
da doe'veh vee'ay'nee

I'm from England.
Sono inglese.
sonno ing'lay'say

How are you doing?
Che fai di bello?
kay fye dee bellow

Fine, thanks. And you?
Bene, grazie. E tu?
ben'ay grart'see'ay. eh too

What type of work do you do?
Che lavoro fai?
kay lav'or'oh fye

Would you like a drink?
Vuoi bere qualcosa?
voo'oy beh'ray kwal'co'sah

Two beers, please.
Due birre, per favore.
doo'ay birr'ray pair fav'or'ay

My friend is paying. (m./f.)
Paga il mio amico / la mia amica.
pag'ah eel mee'oh am'ee'co / lah mee'ah am'ee'cah

What's your friend's name?
Come si chiama il tuo amico / la tua amica?
coe'meh see kee'arm'ah eel too'oh am'ee'co / lah too'ah am'ee'cah

Are you single / married? (m./f.)
Sei single / sposato(a)?
say single / spoz'art'oh(ah)

Are you waiting for someone?
Stai aspettando qualcuno?
sty'ee asp'ett'and'oh kwal'coo'no

Do you want to dance?
Vuoi ballare?
voo'oy bal'are'ay

You're a great dancer! (m./f.)
Sei un(a) grande ballerino(a)!
say oon(ah) grand'ay bal'err'een'oh(ah)

Would you like to have dinner with me?
Vorresti cenare pranzare con me?
vorr'est'ee chen'ah'ray pran'zah'ray con meh

Can I have your e-mail address?
Posso avere il tuo l'indirizzo e-mail?
*poss'oh av'air'ay eel too'oh
  lind'ear'its'soh e-mail*

Here's my phone number. Call me some
  time.
**Questo è il mio numero di telefono.
  Chiamami qualche volta.**
*kwest'oh ay eel mee'oh noo'mair'oh dee
  tell'ay'fone'oh. chee'ah'mam'ee
  kwal'keh volt'ah*

Can I see you again tomorrow?
Posso rivederti domani?
poss'oh reeve'ed'ert'ee dom'arn'ee

Possible responses

I'd love to, thanks.
Mi piacerebbe molto, grazie.
*mee pea'ah'chair'ray'beh moll'to
grart'see'ay*

I have a boyfriend / girlfriend back home.
Ho il ragazzo/a che mi aspetta a casa.
*oh eel rag'at'so(sah) kay mee asp'ett'ah a
car'sah*

Sorry, I'm with someone. (m./f.)
Scusa, sono già'impegnato(a).
scooze'ah sonno ja'im'pen'yart'oh(ah)

I've had a great evening. I'll see you tomorrow.

Mi sono divertita molto stasera. Ci vediamo domani.

mee sonno dee'ver'tee'tah moll'toe stah'sair'ah. chee ved'ee'arm'oh dom'arn'ee

Leave me alone.

Lasciami in pace.

lash'am'ee in patch'ay

Sorry, you're not my type.

Scusa, ma non sei il mio tipo.

scooze'ah mah non say eel mee'oh tee'po

EMERGENCIES

Call the police!
Chiama la polizia!
kee'arm'a lah pol'it'see'ah

My purse / wallet / passport / mobile phone has been stolen.
Il mio borsellino / portafoglio / passaporto / telefonino è stato rubato.
eel mee'oh borse'ell'ee'no / port'a'foy'yo / passa'port'oh / tell'eh'fon'ee'no ay stat'oh roo'baht'oh

My bag / car has been stolen.
La mia borsa / macchina é stata rubata.
*lah mee'ah bor'sah / mack'ee'nah ay
stat'ah roo'baht'ah*

Stop thief!
Ferma quel ladro!
fair'mah kwell lad'ro

Where's the police station?
Dov'è la stazione di polizia?
*doe'vay lah stat'see'oh'nay dee
poll'it'see'ah*

Look out!
Guarda fuori!
gard'ah foo'or'ee

Fire!
Fuoco!
foo'ock'oh

Where's the emergency exit?
Dov'è l'uscita d'emergenza?
doe'vay loo'sheet'ah dem'urge'enza

Where's the hospital?
Dov'è l'ospedale?
dov'ay loss'ped'are'lay

I feel ill.
Mi sento male.
mee sent'oh mar'lay

I'm going to be sick.
Sto per sentirmi male.
stoe pair sent'ear'mee mar'lay

I've a terrible headache.
Ho un terribile mal di testa.
oh oon tair'rib'ee'lay mal dee testa

It hurts here... [point].
Mi fa male qui.
mee fah mar'lay kwee

Please call for a doctor / ambulance.
**Per favore chiama un dottore /
un'ambulanza.**
*pair fav'or'ay kee'arm'a oon dot'or'ay /
oon amb'oo'lanza*

I'm taking this prescription medication.
Sto prendendo queste medicine prescrittemi dal medico.
stoe prend'end'oh kwest'eh med'ee'chee'nay press'crit'emm'a dal med'ee'co

I'm pregnant.
Sono incinta.
sonno in'chin'ta

Help!
Aiuto!
i'oo'toe

I'm lost. Can you help me?
Mi sono perso. Puoi aiutarmi?
mee sonno purse'oh. poo'oy i'oot'arm'ee

REFERENCE

NUMBERS

0 zero
zero
zeh'ro

1 one
uno
oon'oh

2 two
due
doo'ay

3 three
tre
tray

4 four
quattro
kwat'ro

5 five
cinque
ching'kway

6 six
sei
say

7 seven
sette
sett'ay

8 eight
otto
ott'oh

9 nine
nove
no'vey

10 ten
dieci
dee'ay'chee

11 eleven
undici
oon'dee'chee

12 twelve
dodici
doe'dee'chee

13 thirteen
tredici
tray'dee'chee

14 fourteen
quattordici
kwat'or'dee'chee

18 eighteen
diciotto
dee'chott'oh

15 fifteen
quindici
kwin'dee'chee

19 nineteen
diciannove
dee'chah'no'vey

16 sixteen
sedici
say'dee'chee

20 twenty
venti
vayn'tee

17 seventeen
diciasette
dee'chah'sett'ay

21 twenty-one
ventuno
vayn'too'no

22 twenty-two
ventidue
vayn'tee'doo'ay

30 thirty
trenta
trayn'tah

31 thirty-one
trentuno
trayn'too'no

32 thirty-two
trentadue
trayn'tah'doo'ay

40 forty
quaranta
kwah'rant'ah

60 sixty
sessanta
say'sant'ah

41 forty-one
quarantuno
kwah'rant'oono

70 seventy
settanta
say'tant'ah

42 forty-two
quarantadue
kwah'rant'ah'doo'ay

80 eighty
ottanta
ot'tant'ah

50 fifty
cinquanta
ching'kwant'ah

90 ninety
novanta
noh'vant'ah

100 one hundred
cento
chent'oh

101 one hundred
and one
centouno
chent'oh'oono

150
one hundred and fifty
centocinquanta
chent'oh'ching'kwant'ah

200 two hundred
duecento
doo'ay'chent'oh

1,000
one thousand
mille
mee'lay

5,000
five thousand
cinquemila
ching'kway' mee'lah

1,000,000
one million
un milione
oon mill'ee' oh'nay

DAYS OF THE WEEK

Monday
lunedì
loo'nay'dee

Tuesday
martedì
mart'ay'dee

Wednesday
mercoledì
mer'co'lay'dee

Thursday
giovedì
jo'veh'dee

Friday
venerdì
vay'nair'dee

Saturday
sabato
sah'bat'oh

Sunday
domenica
doh'may'nee'kah

MONTHS OF THE YEAR

January
gennaio
jen'ah'ee'oh

May
maggio
madge'oh

February
febbraio
feb'rah'ee'oh

June
giugno
jewn'yo

March
marzo
mart'so

July
luglio
loo'yoh

April
aprile
ah'pree'leh

August
agosto
ah'goss'toe

September
settembre
say'tem'bray

October
ottobre
ott'oh'bray

November
novembre
no'vem'bray

December
dicembre
dee'chem'bray

TIMES OF DAY

today
oggi
odge'ee

afternoon
pomeriggio
pommer'ridge'oh

tomorrow
domani
dom'arn'ee

evening
sera
say'rah

yesterday
ieri
ee'air'ee

now
ora
or'ah

morning
mattina
mat'ee'nah

later
dopo
dop'oh

TIME

Excuse me. What's the time?
Scusami. Che ora è?
scooza'mee. kay or'ah ay

It's one o'clock
È l'una in punto
ay loon'ah in punt'oh

It's quarter to eight
Un quarto alle otto
oon kwart'oh alleh ott'oh

It's half past two
Le due e mezza
leh doo'ay eh met'zah

It's quarter past ten
Le dieci e un quarto
leh dee'ay'chee ay oon kwart'oh

Five past seven
Le sette e cinque
leh sett'ay eh ching'kway

Ten past eleven
Le undici e dieci
leh oon'dee'chee eh dee'ay'chee

Twenty-five past nine
Le nove e venticinque
leh no'vey eh vayn'tee' ching'kway